鋼の錬金術師

FULLMETAL ALCHEMIST

8

荒川弘《あらかわひろむ》

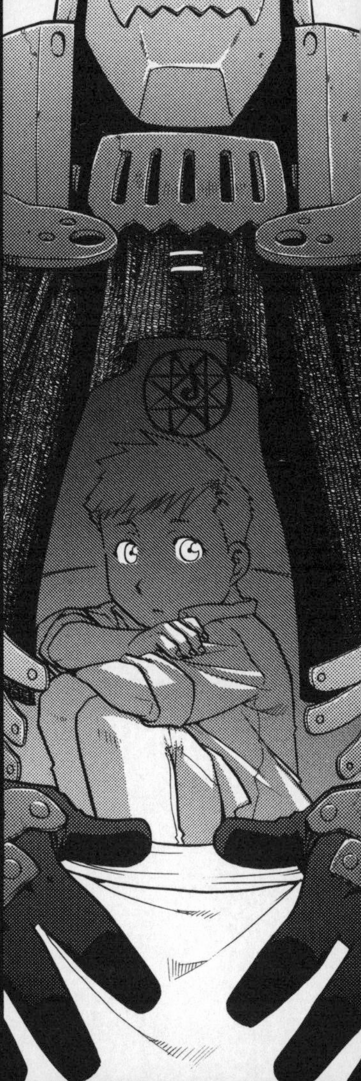

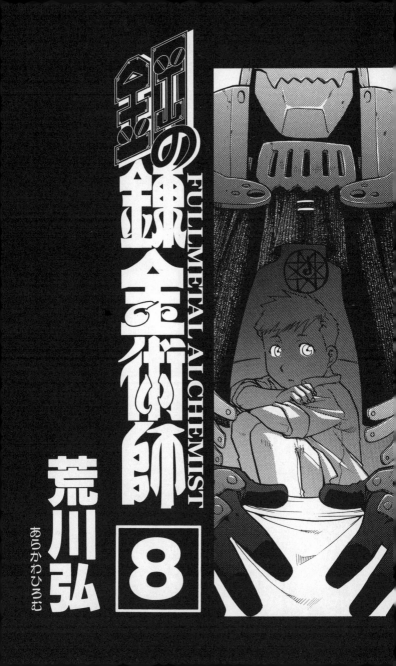

アルフォンス・エルリック

Alphonse Elric

エドワード・エルリック

Edward Elric

アレックス・ルイ・アームストロング

Alex Louis Armstrong

ロイ・マスタング

Roy Mustang

OUTLINE

FULLMETAL ALCHEMIST

エドワードとアルフォンスの兄弟《きょうだい》は、
幼《おさな》き日《ひ》に喪《うしな》った母《はは》を錬金術《れんきんじゅつ》により蘇《よみがえ》らせようと試《こころ》みる。
しかし、錬成《れんせい》は失敗《しっぱい》しエドワードは
左足《ひだりあし》と弟《おとうと》のアルフォンスを失《うしな》ってしまう。
なんとか自分《じぶん》の右腕《みぎうで》を代償《だいしょう》にアルフォンスの魂《たましい》を錬成《れんせい》し、
鎧《よろい》に定着《ていちゃく》させる事《こと》に成功《せいこう》するが
その代償《だいしょう》はあまりにも高《たか》すぎた。
そして兄弟《きょうだい》はすべてを取《と》り戻《もど》す事《こと》を誓《ちか》うのだった…。

鋼の錬金術師
FULLMETAL ALCHEMIST

CHARACTER
FULLMETAL ALCHEMIST

□ ウィンリィ・ロックベル

Winry Rockbell

□ キング・ブラッドレイ

King Bradley

□ グラトニー

Gluttony

□ ラスト

Lust

□ グリード

Greed

□ エンヴィー

Envy

CONTENTS

第《だい》30話《わ》　鎧《よろい》の中《なか》 真理《しんり》の奥《おく》——7

第《だい》31話《わ》　己《おのれ》の尾《お》を噛《か》む蛇《へび》——51

第《だい》32話《わ》　東方《とうほう》の使者《ししゃ》——85

第《だい》33話《わ》　ラッシュバレーの攻防《こうぼう》——125

特別編《とくべつへん》　ＰＳ２《プレイステーション》用《よう》ソフト 鋼《はがね》の錬金術師《れんきんじゅつし》　翔《と》べない天使《てんし》 prologue《プロローグ》——173

なんだなんだ
なんで軍人《ぐんじん》がこんな所《ところ》にいるんだよ
立入禁止《たちいりきんし》だ よそへ回《まわ》れ
えーマジかよ
どうなってんだよぉ……
まさか合成獣人間《オレら》を狩《か》りに来《き》たのか…?
グリードさん…

第《だい》30話《わ》
鎧《よろい》の中《なか》 真《しん》理《り》の奥《おく》

なんとも すさまじいね
人間技《にんげんわざ》じゃねぇよ
どっちが？
こいつらも大総統《だいそうとう》も
はは… アームストロング少佐《しょうさ》もな
しかし皆殺《みなごろ》しとは…
後味《あとあじ》悪《わる》いねぇ…

う…わ
ガシャ
ガシャ

この…
死《し》にぞこないが……ッ!?
いでででで…
ドルチェット………

行《い》くぞ
ベッ
おう
ぐ
ドドドドドドド

ドン
ドガ
ガガ
どうなってるの!? グリードさんは?
ドッ
…わからない
暗《くら》くてよく見《み》えない
ドカ
ドン
シ…ン
闘いの音が止《と》まった…
カッ
!

……誰《だれ》だ!?
カッ
カッ コッ
カッ
コッ
カッ
カッ
ヌッ
あ

ドオッ
ガザ
グリードさ……

ダメだ!!
ガボ!!
うわぶ!!?
……っこの! 開《あ》けなさい!!
だめだよ!! 出《で》たら あぶない!!
出《だ》しなさい!!
ダメったら ダメ!!
ズッ
これで 15回《かい》は 死《し》んだか
あと 何回《なんかい》かね?
ん?
て…め…
ゴぶっ

ああ　くそ
さっきの所《ところ》でくたばってりゃ楽《らく》に死《し》ねたなぁロア
まったくツいてねー——
尻尾《しっぽ》を巻《ま》いて逃《に》げてもいいぞドルチェット
そうしたいところだがご主人様《しゅじんさま》があんなじゃなぁ…
いやになるぜ犬《いぬ》ってのは忠誠心《ちゅうせいしん》が強《つよ》くってよぉ
ヨロ…

バキン
まだ中《なか》にいるんだろ
ガキ
そいつ逃《に》がしてやってくれ
!
たのんだぞ
あっ…

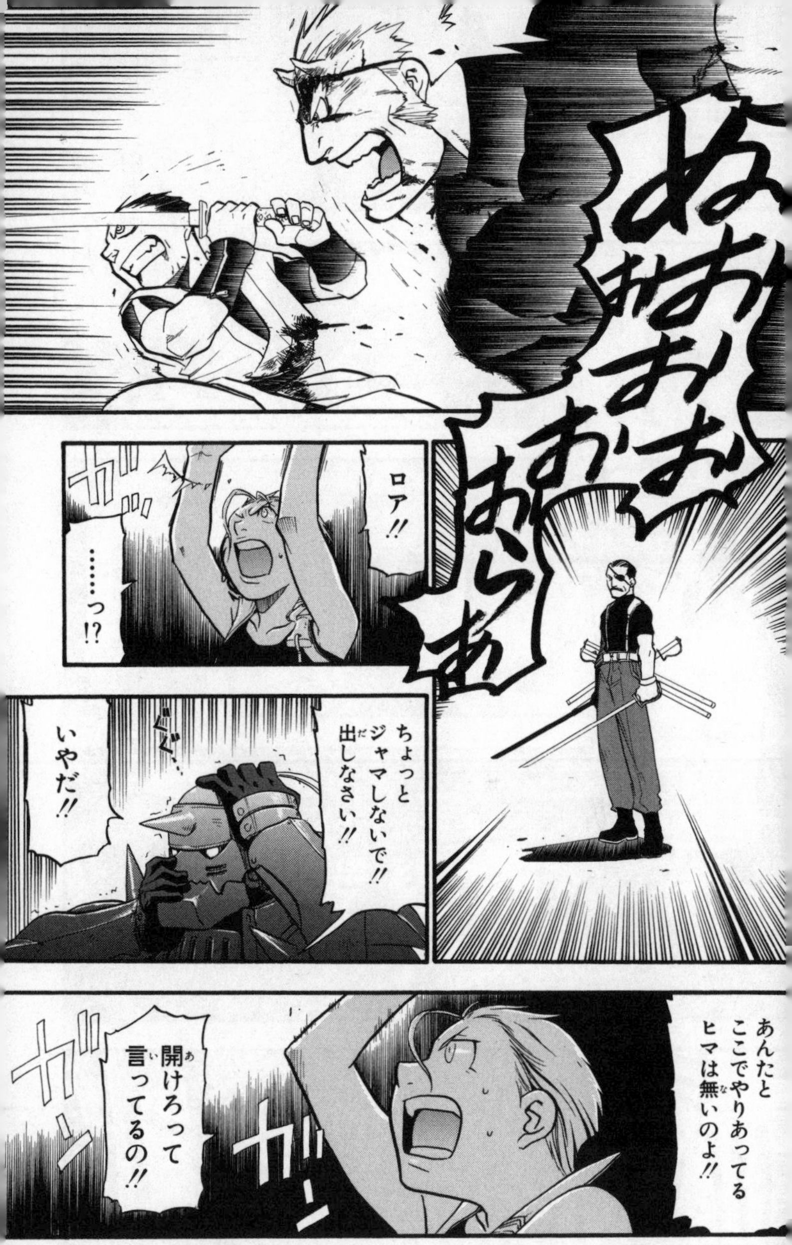
ぬおおおおおおおらあ
ガガ
ロア!!
……っ!?
ちょっとジャマしないで!!
出《だ》しなさい!!
ぐぐ…
いやだ!!
あんたとここでやりあってるヒマは無《な》いのよ!!
ガン
開《あ》けろって言《い》ってるの!!
ガン

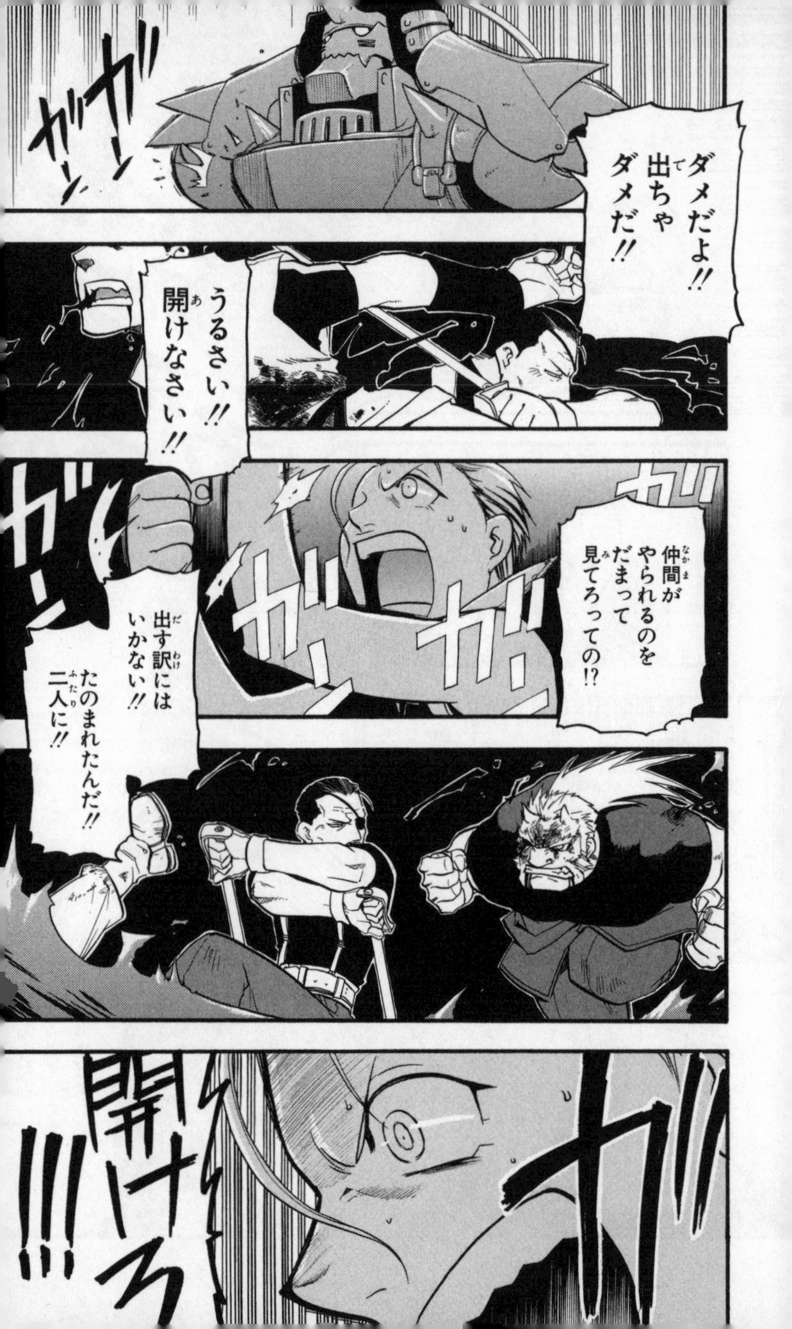
ガガーン
ダメだよ!! 出《て》ちゃダメだ!!
うるさい!! 開《あ》けなさい!!
仲間《なかま》がやられるのをだまって見《み》てろっての!?
出《だ》す訳《わけ》にはいかない!!
たのまれたんだ!! 二人《ふたり》に!!
開けろ!!!

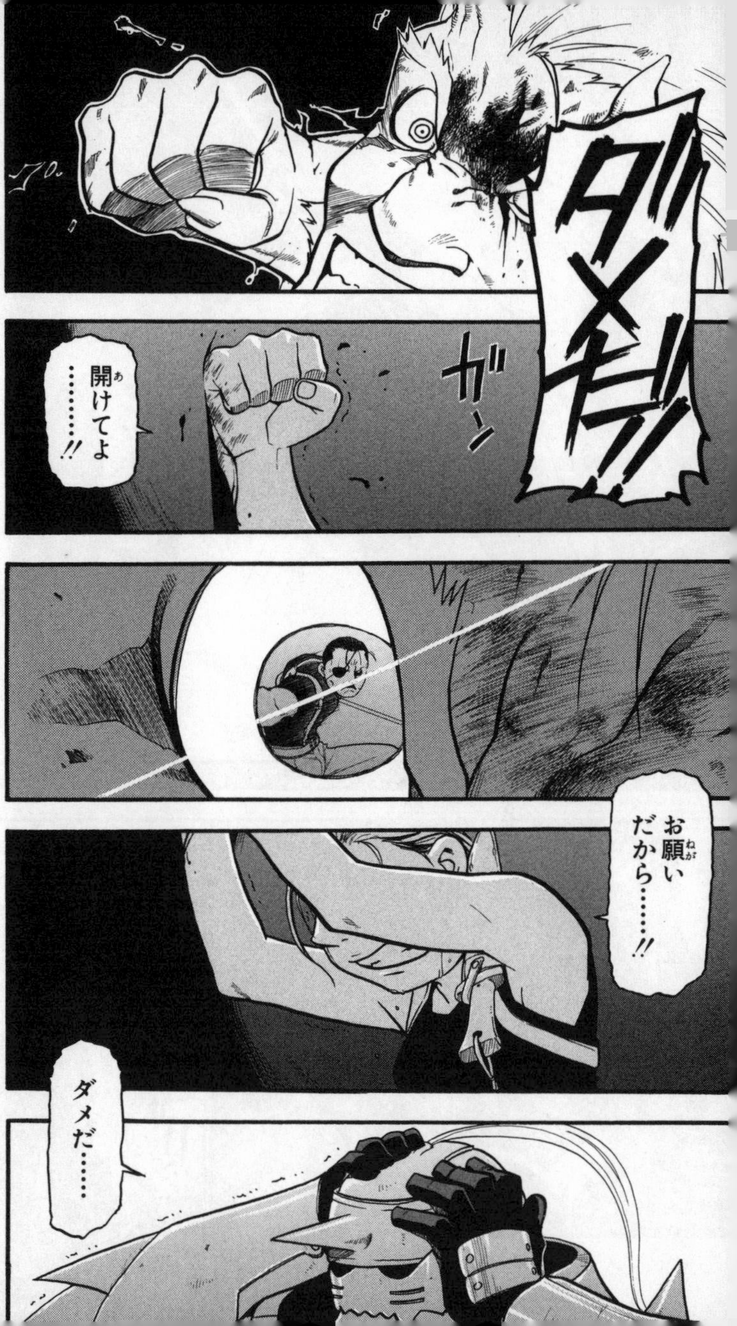

ダメモト!!
ガン
開《あ》けてよ……!!
お願《ねが》いだから……!!
ダメだ……

出《で》ちゃ……
ダメだ……!!
おいおい
ブラッドレイさんよ
ジャ
どうしてくれんだ
俺《おれ》の部下《ぶか》を
こんなに
しちまってよ
駒《こま》に
情《じょう》が移《うつ》ったか
くだらん

情《じょう》だあ!?
阿呆《あほう》か!! 俺《おれ》を誰《だれ》だと思《おも》ってんだ!! 強欲《ごうよく》のグリード様《さま》だぞ!?
金《かね》も女《おんな》も部下《ぶか》も何《なに》もかも 俺《おれ》の所有物《しょゆうぶつ》なんだよ
みんな俺《おれ》の物《もの》なんだよ
だから俺《おれ》は俺《おれ》の所有物《しょゆうぶつ》を見捨《みす》てねぇ!!
なんせ欲《よく》が深《ふか》いからなぁ!!
強欲《ごうよく》!!!
ますますくだらん!!!

ドッ
ドシャア
しばらく寝《ね》ているがよい

に……
ガしゃ
逃《に》げなきゃ……
待《ま》ちたまえ
ビシャ
エドワード君《くん》の弟《おとうと》だね
ケガは無《な》いかね？
手《て》を貸《か》そうか？
ん？
は…はい
大丈夫《だいじょうぶ》です
一人《ひとり》で帰《かえ》れますから……
じゃあ……
……っ!!

!
だっ……
だめだ
マーテルさん!!
ぎり ぎり ぎり
ぎり ぎ
やめるんだ!!
ぎりっ
ブラッドレイ!!!
やめ……

ゴ!!
ジャ
ドン
うあ
グン

Chesed
El
Pacer

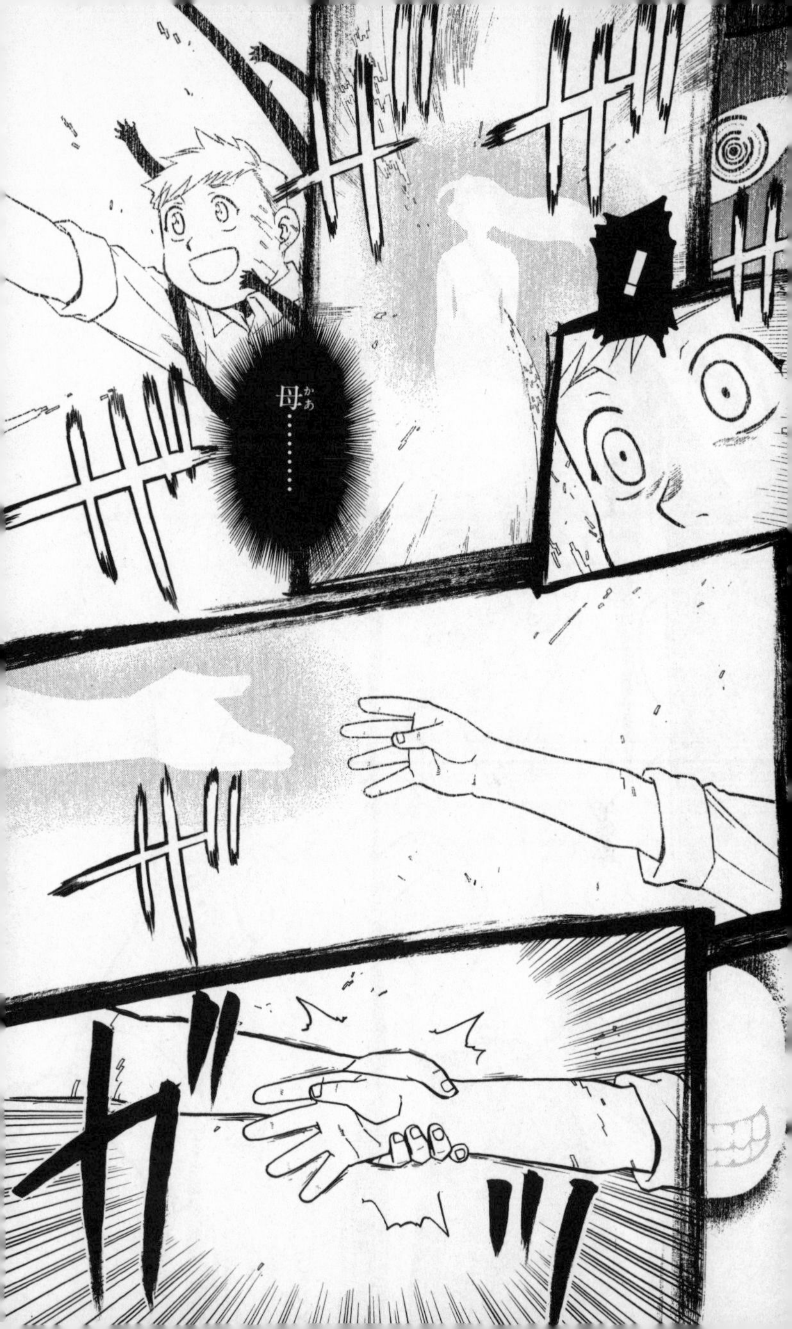
母《かあ》…………
!

ガン
……!!
アル!!
しっかりしろ!!
ガン
ガン

アル!!
おい!!
返事《へんじ》しろよ!!
ガン
ガン
ガン
兄《にい》……さん?

大丈夫《だいじょうぶ》か!?
兄《にい》さんこそそんな血《ち》まみれで…
あ……
勝手《かって》に開《あ》けて引《ひ》っ張《ぱ》り出《だ》させてもらった
助《たす》け……られなかった…

すまんな
アルは悪《わる》くないよ
さ 帰《かえ》ろう
師匠《せんせい》が待《ま》ってる
…うん
待《ま》ちたまえ
君達《きみたち》には訊《き》かねばならん事《こと》がある

ここの黒幕《くろまく》…
ウロボロスの印《しるし》を持《も》つ男《おとこ》と何《なに》か取《と》り引《ひ》きをしたかね？
何《なに》も
重要《じゅうよう》な情報《じょうほう》を聞《き》き出《だ》したりは？
…何《なに》も軍《ぐん》の利益《りえき》になるような事《こと》は…
勘違《かんちが》いするな
軍《ぐん》のためではない
もし奴《やつ》らと取《と》り引《ひ》きをしていたら場合《ばあい》によっては君達《きみたち》を始末《しまつ》せねばならんからだ
！
ザ

軍《ぐん》の中枢《ちゅうすう》に害《がい》なす奴《やつ》らと利害関係《りがいかんけい》にあるならば…
ありませんよ
他《ほか》に質問《しつもん》は？
キミの鋼《はがね》の腕《うで》と弟《おとうと》の鎧姿《よろいすがた》…
何《なに》か関係《かんけい》があるのかね？

……正直者《しょうじきもの》だな
引《ひ》き上《あ》げるぞ
君《きみ》のその弟《おとうと》
大切《たいせつ》にしたまえよ

ごし
ごし
ごし
ごし
ごし
よーし!きれいになったぞ!
どん
……大丈夫《だいじょうぶ》か?
あ…うん
ちょっと混乱《こんらん》してるだけ

アルのせいじゃないよ
あ　そっちの事《こと》じゃなくて
ボクの身体《からだ》があっちに持《も》って行《い》かれた時《とき》の記憶《きおく》が戻《もど》ったんだ
ど……どうだった!?
ん〜〜〜……なんかすごかった
こんなん。
でも人体《じんたい》の錬成《れんせい》についてはわからなかった
………そっか……

結局《けっきょく》
進歩《しんぽ》無《な》しかぁ
いや
そうでもないさ
中央《セントラル》の
病院《びょういん》での事《こと》
覚《おぼ》えてるか?
ウロボロスの
入《い》れ墨《ずみ》を
持《も》つ奴《やつ》らと
賢者《けんじゃ》の石《いし》…
うん…
大総統《だいそうとう》が言《い》うには
それらに関《かか》わって
軍内部《ぐんないぶ》で不穏《ふおん》な
動《うご》きがあって
そいつらの
尻尾《しっぽ》を
つかみたいって
だったら
なぜ奴《やつ》らを
皆殺《みなごろ》しにする
必要《ひつよう》があったんだ?

尻尾《しっぽ》をつかみたいなら生《い》け捕《ど》りにして吐《は》かせればいい
そうか!
そもそもたったあれだけの人数《にんずう》を掃討《そうとう》するのに大総統《だいそうとう》が出《で》て来るのもおかしいよ
ああどうにも腑《ふ》に落《お》ちない事《こと》ばかりだ
……しばらく軍《ぐん》にくっついてみるか
賢者《けんじゃ》の石《いし》の情報《じょうほう》が拾《ひろ》えるかもしれないね!
よーしそうと決《き》まれば…
腹《はら》ごしらえだ!!
師匠《せんせい》!! 腹《はら》が減《へ》りました!!
うるさいね! 早《はや》く食《た》べたかったら手伝《てつだ》いな!!
カーン

カーン
カーン
せっかく中央《セントラル》に移《うつ》って初《はじ》めて取《と》れた休《やす》みだというのに…
カーン
コツ
コツ
コツ
生活必需品《せいかつひつじゅひん》の買《か》い出《だ》しだけで終《お》わってしまったわ
カッ
コツ
コツ
カツ
コツ
コツ
コツ
MISSING PERSON

ギィ
おねエさん
こんな時間《じかん》に
一人《ひとり》で歩《ある》いてちゃ
危《あぶ》ねエなア
送《おく》って
行《い》こうか?
……ご忠告《ちゅうこく》
ありがとう
でも
大丈夫《だいじょうぶ》よ
遠慮《えんりょ》すんなよ
この辺《へん》は
本当《ほんとう》に
物騒《ぶっそう》な奴《やつ》が
いるんだよ

バリー・ザ・チョッパーとかなア!!!
ゲヘヘヘ
ははは
……っ!!
でえっ!!?

いきなり何《なに》すん
のオーーッ!!!
けしからん!!
この俺様《おれさま》に
襲《おそ》われて
何《なに》も反応《はんのう》
せんとは!!
これでも見《み》て
悲鳴《ひめい》あげやがれ!!
!!

パン
キャー——‼
ちょ…ちょちょちょ‼なんで驚《おどろ》かねェのよおねェさん‼
………似《に》たような人《ひと》を知《し》ってるから
似《に》…？
アルフォンスなんとかって奴《やつ》か？
アルフォンス君《くん》を知《し》っているの⁉
げっへっへっへあいつのご友人《ゆうじん》さんですかい
よっこら
しかしおねェさん強《つよ》いですねェ♡
あなた何者《なにもの》？アルフォンス君《くん》とどういう関係《かんけい》？

俺《おれ》強《つよ》い女《おんな》大好《だいす》きよォ♡
話《はなし》をはぐらかさないで！
惚《ほ》れたぜ姐《あね》さん♡♡
……　……は？
マスタング大佐《たいさ》一般回線《いっぱんかいせん》から通信《つうしん》です
つないでくれ
ああホークアイ中尉《ちゅうい》か
どうした今日《きょう》は非番《ひばん》じゃなかったのか

いえ
それが…
姐さ〜ん♡
変《へん》なのを
捕《つか》まえて
しまいまして
何《なに》?
解体《かいたい》させてよ
姐《あね》さん
だめ!
んじゃ
これから
来《く》る奴《やつ》を
絶対《ぜったい》だめ!
あーーもう
早《はや》く来《き》てください
大佐《たいさ》〜〜〜

お忙《いそが》しいところ申《もう》し訳《わけ》ありません大佐《たいさ》
姐《あね》さん誰《だれ》ですかこの野郎《やろう》は
ごすっ
ちょっと静《しず》かにしててちょうだい
……どいていたまえ中尉《ちゅうい》
今夜《こんや》の火力《かりょく》はちょっとすごいぞ
ゴゴゴ
落《お》ち着いてください大佐《たいさ》!
この男《おとこ》死刑《しけい》になったはずのバリー・ザ・チョッパーです!
!

第《だい》31話《わ》
己《おのれ》の尾《お》を噛《か》む蛇《へび》

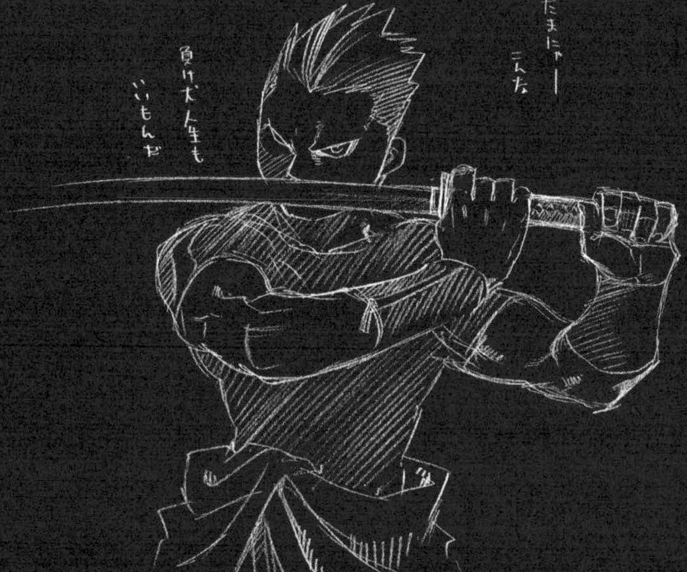
たまにゃー
こんな
負け犬人生も
いいもんだ

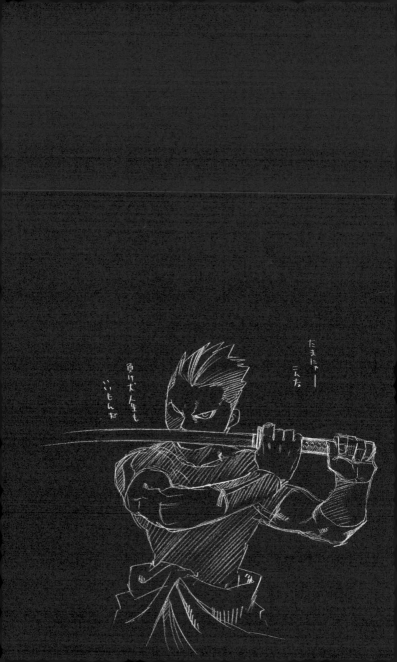

09年《ねん》5月《がつ》3日《か》は？
レイノルズだな 五番街《ごばんがい》の酒蔵《さかぐら》の 裏《うら》で殺《や》った
10年《ねん》8月《がつ》29日《にち》
ヘンドリック うちの肉《にく》が 不味《まず》いとか ぬかしやがったから
08年《ねん》1月《がつ》5日《か》
レニィと シンシア 一晩《ひとばん》で二人《ふたり》 殺《や》ったのは その時《とき》だけだ
……11年《ねん》3月《がつ》3日《か》の ガドリエル事件《じけん》は？
ガドリエルを 殺《や》ったのは 3日《か》じゃねえ 13日《にち》だ
月《つき》のきれいな晩《ばん》でよ 手元《てもと》がよく見《み》えて 解体《かいたい》しやすかった

どうだ？
引《ひ》っかけにも乗《の》りませんね ここまで知《し》ってるとなると やはり本物《ほんもの》かと…
んだよ！ 俺《おれ》が偽物《にせもの》かと疑《うたが》ってんのかよ！ なんならてめェらきれいに解体《かいたい》してみせて…
ごすっ
やめなさい
やだなぁ冗談《じょうだん》スよ姐《あね》さん♡
本物《ほんもの》である事《こと》は認《みと》めよう
なぜ死刑《しけい》になったはずのおまえがここにいる？
しかもアルフォンス・エルリックと同《おな》じ鎧《よろい》の身体《からだ》で
答《こた》える前《まえ》にこっちも質問《しつもん》がある
おめェら軍人《ぐんじん》のようだが俺《おれ》がこんな身体《からだ》になった事《こと》を知《し》らなかったんだな？
ああ

OK《オーケー》 OK《オーケー》!
てぇ事《こと》は 第五研究所《だいごけんきゅうじょ》の 事《こと》も 知《し》らねェな?
?
なんの事《こと》だ?
アルフォンスって奴《やつ》と その兄貴《あにき》が 忍《しの》び込《こ》んで来《き》てな
その時《とき》に 闘《たたか》ったのよ
なかなか強《つえ》ェな あいつ
忍《しの》び込《こ》んで…
そう エルリック 兄弟《きょうだい》です
彼《かれ》らの 探《さが》し物《もの》は 伝説級《でんせつきゅう》の代物《しろもの》 ですので
賢者《けんじゃ》の石《いし》か!!
……バリー 詳《くわ》しく話《はな》せ!
へっへっへ
俺《おれ》の身体《からだ》を こんなにした奴《やつ》らに チクらないで かつ俺《おれ》を処分《しょぶん》 しないってェなら 洗《あら》いざらい 吐《は》いてもいいぜ
いいだろう!

まとめると だな……
第五研究所《だいごけんきゅうじょ》では 不完全《ふかんぜん》ではあるが 賢者《けんじゃ》の石《いし》が 作《つく》られていた
材料《ざいりょう》は 生《い》きた人間《にんげん》 だった
研究所《けんきゅうじょ》は すでに崩壊《ほうかい》し 証拠《しょうこ》を探《さが》そうにも 無理《むり》……
軍《ぐん》の施設《しせつ》と 研究員《けんきゅういん》が 関《かか》わっていた…
となると 軍上層部《ぐんじょうそうぶ》も 一枚噛《いちまいか》んでいるな
ラストとエンヴィー という者《もの》が 軍《ぐん》と つながっている…
その二人《ふたり》の 容姿《ようし》は？
ラストっつーのは こう…… ボンキュッで 斬《き》ったら 柔《やわ》らかそーなの
エンヴィーは あー 少《すこ》し骨《ほね》っぽそう だな
身体《からだ》も 小《ちい》さいし 斬《き》りごたえ 無《な》さそうな…
どうか したか？
いや もういい…

では おまえの魂《たましい》を 錬成《れんせい》したのは そいつらか?
いいや 研究者《けんきゅうしゃ》どもの 仕事《しごと》だ
それに俺《おれ》のは 錬成《れんせい》とは ちょっと違《ちが》うな
生《い》きたまま 身体《からだ》から 魂《たましい》ひっぺがされて この鎧《よろい》に 移《うつ》されただけさァ
なんせ 無理矢理《むりやり》 ひっぺがす もんだからな
その 苦痛《くつう》たるや…
サクっと 死刑《しけい》にして くれた方《ほう》が 幸《しあわ》せだと 思《おも》ったぜ
その 研究者《けんきゅうしゃ》を 調《しら》べま しょうか?
実験《じっけん》を 指示《しじ》した者《もの》の 素性《すじょう》が わかるかも…
無理《むり》だな

そいつら石《いし》の材料《ざいりょう》に使《つか》われちまったよ
研究所《けんきゅうじょ》が崩壊《ほうかい》する数日前《すうじつまえ》にな
誰《だれ》一人《ひとり》残《のこ》ってやしねェよ
口封《くちふう》じ兼《けん》研究材料《けんきゅうざいりょう》か 無駄《むだ》の無《な》い事《こと》だ…
もう石《いし》を作《つく》る必要《ひつよう》が無《な》くなったという事《こと》でしょうか？
軍上層部《ぐんじょうそうぶ》がらみの組織《そしき》と
賢者《けんじゃ》の石《いし》……
バリー・ザ・チョッパー 最後《さいご》にひとつ訊《き》こう
一《いっ》か月《げつ》と少《すこ》し前《まえ》中央《セントラル》の電話《でんわ》ボックスで軍将校《ぐんしょうこう》を殺害《さつがい》したのはおまえか？

知《し》らねェよ!
そいつ斬《き》り裂《さ》かれてたのか?
いや
知《し》らないならいい
さてファルマン准尉《じゅんい》帰《かえ》っていいぞ
はっ

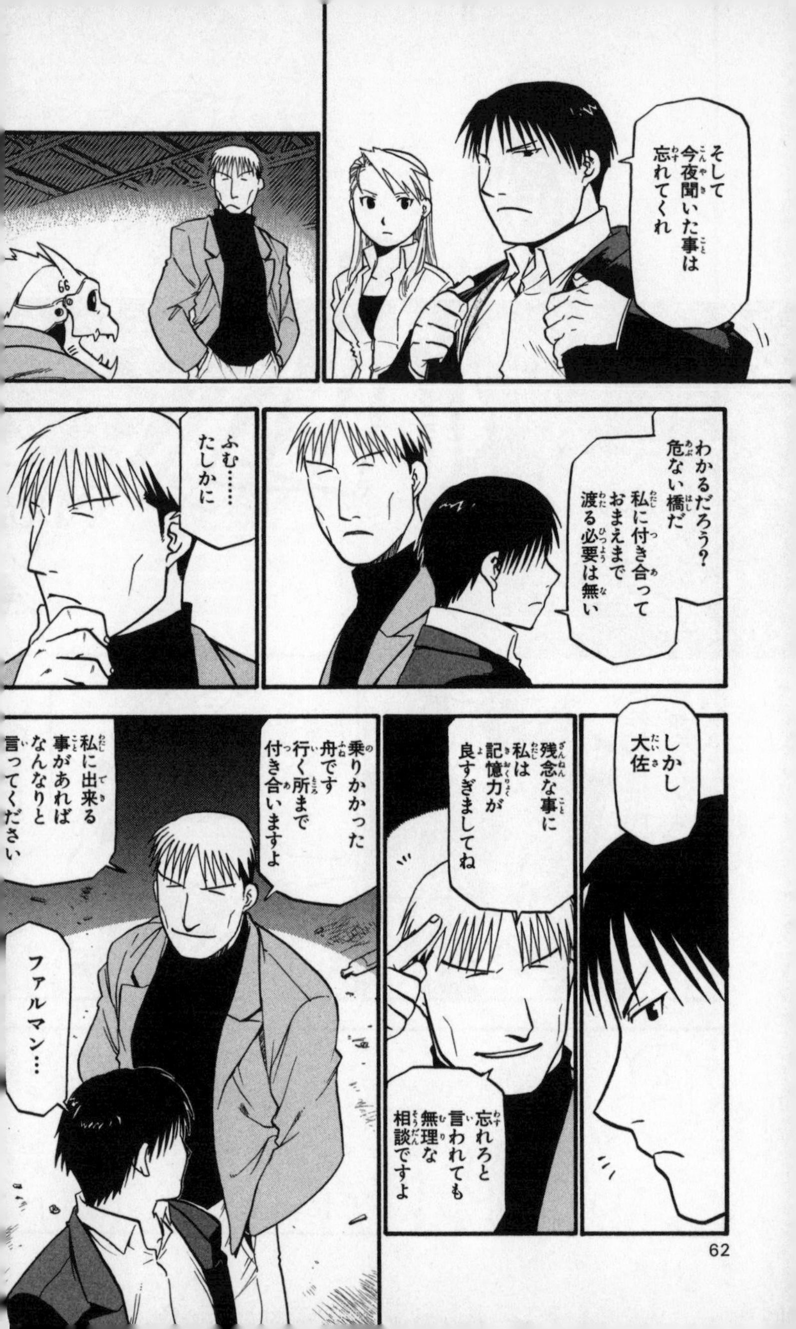
そして今夜《こんや》聞《き》いた事《こと》は忘《わす》れてくれ
わかるだろう？危《あぶ》ない橋《はし》だ
私《わたし》に付《つ》き合《あ》っておまえまで渡《わた》る必要《ひつよう》は無《な》い
ふむ……たしかに
しかし大佐《たいさ》
残念《ざんねん》な事《こと》に私《わたし》は記憶力《きおくりょく》が良《よ》すぎましてね
忘《わす》れろと言《い》われても無理《むり》な相談《そうだん》ですよ
乗《の》りかかった舟《ふね》です行《い》く所《ところ》まで付《つ》き合《あ》いますよ
私《わたし》に出来《でき》る事《こと》があればなんなりと言《い》ってください
ファルマン…

すまんな
感謝《かんしゃ》する
では 早速《さっそく》だが こいつを たのむ
は？
一般市民《いっぱんしみん》および 我々以外《われわれいがい》の 軍関係者《ぐんかんけいしゃ》に 見付《みつ》からん場所《ばしょ》に 拘束《こうそく》しておけ！
私《わたし》は 調《しら》べ物《もの》が あるので 軍《ぐん》に戻《もど》る！
ああ おまえの休《やす》みは 取《と》っといてやるから バリー《そいつ》を しっかり 見張《みは》っておけよ！
ゴーン
たのんだぞ！
したっ
バリー！ その人《ひと》は 斬《き》っちゃダメよ！
したっ

ガラガラガラ
ピシャン
あいあい～♡
ま
仲《なか》良《よ》くやろうぜ
肉《にく》が硬《かた》そうなダンナ
ぽん
……

ドドド
おかえりなさい
大総統《だいそうとう》
ド
ド
ド
ドドド
南部《なんぶ》の視察《しさつ》はどうだった?
うむ
意義《いぎ》あるものになった
鋼《はがね》の錬金術師《れんきんじゅつし》の弟《おとうと》……
ひょっとしたら
その師匠《ししょう》も
人柱《ひとばしら》になりうる
人材《じんざい》かもしれん
そして
もうひとつ

思《おも》わぬ収《しゅう》穫《かく》が
なつかしいわね

一世紀前《いっせいきまえ》にここを出《で》てった顔《かお》だわ
起《お》きなさいグリード
おやま
皆《みな》さんおそろいで
いいザマね「最強《さいきょう》の盾《たて》」
おめーは相変《あいか》わらずいい女《おんな》だな「最強《さいきょう》の矛《ほこ》」
色欲《ラスト》さんよ

暴食《グラトニー》 おめぇは ちっとも やせねーな
嫉妬《エンヴィー》……
またそんな シュミの悪《わり》ィ カッコしてんのか
怠惰《スロウス》は どこだ？
昔《むかし》から さぼって ばかりでね
まだ 仕《し》事中《ごとちゅう》よ

ほんとに どいつもこいつも 百年前《ひゃくねんまえ》から 変《か》わっちゃいねぇ
こいつは 誰《だれ》だ？
で
……「憤怒《ふんど》」の ラース
あなたが 私達《わたしたち》を 裏切《うらぎ》って 出《で》て行《い》った 後《あと》……

今《いま》から60年前《ねんまえ》に
お父様《とうさま》に
造《つく》られた
新《あたら》しい兄弟《きょうだい》よ
…………
「キング・ブラッドレイ」
だろ？
数々《かずかず》の戦場《せんじょう》で
武功《ぶこう》をたてて
40代《だい》で独裁者《どくさいしゃ》に
成《な》り上《あ》がった…
そう
キング・ブラッドレイ
という名《な》の
「人間《にんげん》」として
最後《さいご》の詰《つ》めに
用意《ようい》された
私達《わたしたち》の兄弟《きょうだい》
年《とし》をとる
人造人間《ホムンクルス》…？
そんなのありか…？
あっはっは！
何言《なにい》ってんだろね
この人《ひと》は！
「ありえない
なんて事《こと》は
ありえない」
あんたの
口《くち》グセだった
はずだよ
忘《わす》れたの？

やだねぇ 年《とし》とって もうろく してんじゃ ないの？
だまってろや 不細工《ぶさいく》が
——あ？
おーう いいねその目《め》 そうでなくっちゃ
久《ひさ》しぶりに 本性《ほんしょう》 見《み》せろよ ゲテモノ エンヴィー
糞《くそ》が…
望《のぞ》み通《どお》り 踏《ふ》み潰《つぶ》して やるよ……!!
ゆらり
よさないか おまえたち

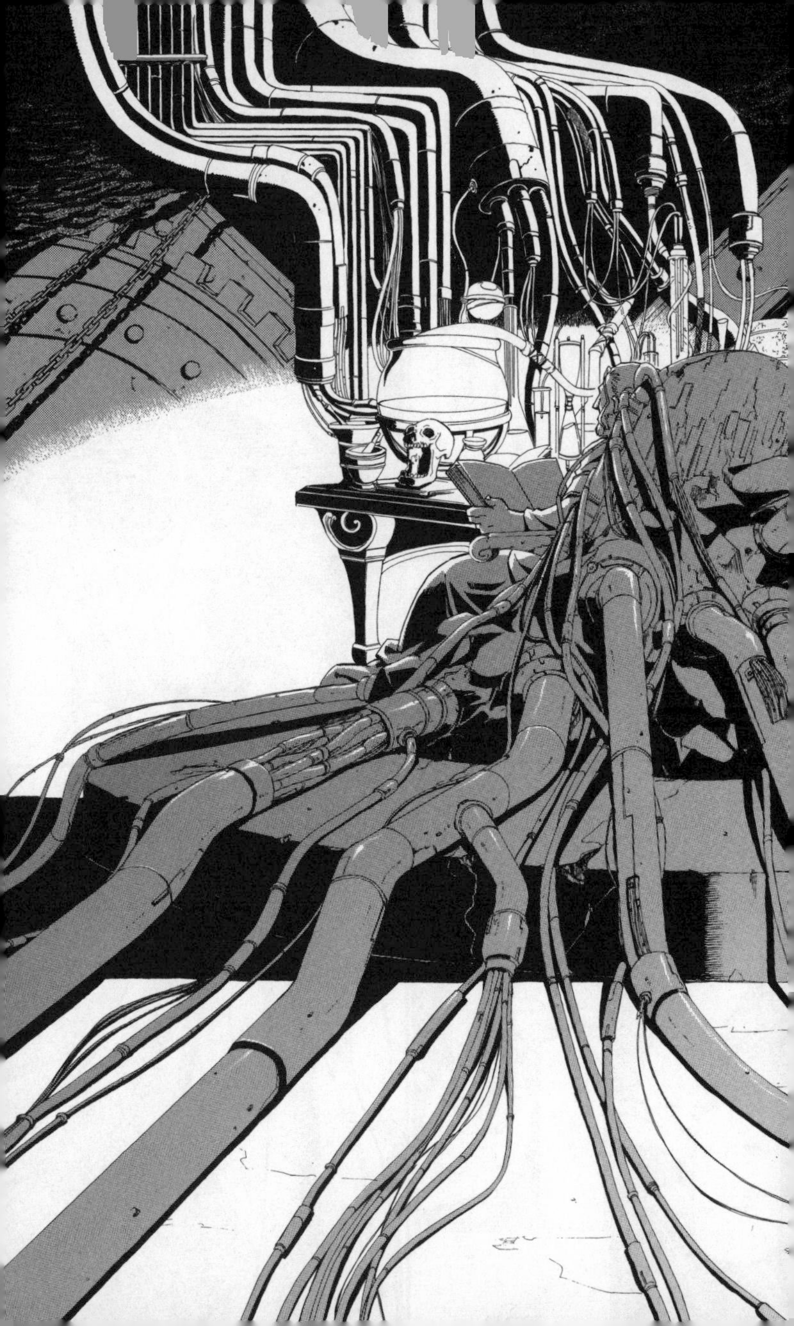

兄弟《きょうだい》で争《あらそ》うなど…
そんな醜《みにく》い事《こと》はこの父《ちち》の前《まえ》でしてくれるな
……よう親父殿《おやじどの》
いたのかよ
しばらく見《み》ないうちにずいぶん老《ふ》け込《こ》んだんじゃねぇの?
……グリード
我《わ》が魂《たましい》を分《わ》けた息子《むすこ》よ
ひとつ問《と》いたい

何故《なぜ》この父《ちち》を裏切《うらぎ》った？
何故《なぜ》だと？
それは親父殿《おやじどの》が一番《いちばん》わかってる事《こと》じゃないのか？
「強欲《ごうよく》」
あんたがそう産《う》んで俺《おれ》はその通《とお》り生《い》きただけだ
あんたの元《もと》にいたんじゃこの俺《おれ》の欲《よく》は満《み》たされねぇ
理由《りゆう》なんざそれだけで十分《じゅうぶん》だ
……また私《わたし》のために働《はたら》いてはくれんか

NO！だ！
……そうか
仕《し》方《かた》が無《な》いな
ガコン
ゴオン
ゴン
ゴン
ゴン
ゴ

ゴゴ
ゴゴ
ドドドド
ドドドドッ
ドドッ
ボコッ
ボコッ
ギ…
……っとに
シュミ悪《わり》イ……
ジャラ
ジャラ

…っはァ!!
いい湯加減《ゆかげん》だなチクショー!!
地獄《じごく》の業火《ごうか》はこれ程《ほど》ヌルくは無《ね》えだろうなぁ!!

オオオオ
どんなもんか先《さき》に行って見《み》ててやるぜ兄弟《きょうだい》!!
生《う》まれた場《ば》所《しょ》へ
我《わ》が魂《たましい》へ還《かえ》るがよい強欲《グリード》よ
上等《じょうとう》だぁ!!
腹《はら》ぁ壊《こわ》しても知《し》らねぇぞ親父殿《おやじどの》!!

がっはっはははは
ははははは

ゴボッ
ゴボ
ゴボ
ゴポ
来《き》たる日《ひ》に
むけて
おまえ達《たち》の
変《か》わらぬ忠誠《ちゅうせい》と
安寧《あんねい》を祈《いの》る
がぱ

ゴク
カツ
コツ
カツ
コツ…
お義父《とう》さん！

タ タ タ タ タ タ
おかえりなさい お義父《とう》さん!
タ タ
ただいま
セリム
南部《なんぶ》の視察《しさつ》はどうでした?
うん 実《じつ》に充実《じゅうじつ》した視察《しさつ》だったぞ
あなたもう若《わか》くないのですから後進《こうしん》に席《せき》を譲《ゆず》ってゆっくりなさったらいいのに
いやいや まだ現役《げんえき》だぞ 私《わたし》は

また お土産話《みやげばなし》を 聞《き》かせて ください！
ああ いいとも 今夜《こんや》 ゆっくりな
そうだ 南《みなみ》で 鋼《はがね》の錬金術師《れんきんじゅつし》君《くん》に 会《あ》ったぞ
小《ちい》さい 錬金術師《れんきんじゅつし》の!? 本当《ほんとう》ですか!?
セリムは エドワード君《くん》の 話《はなし》が 好《す》きね
だって！ 12歳《さい》で 国家錬金術師《こっかれんきんじゅつし》 だなんて かっこいいじゃ ないですか！
いいなぁ… 僕《ぼく》も 錬金術《れんきんじゅつ》を 習《なら》いたい…
そんなもの 習《なら》って どうするの？
国家資格《こっかしかく》を 取《と》って お義父《とう》さんの 役《やく》に立《た》ちたい です！
はっはっは！ セリムには 無理《むり》だ！

第《だい》32話《わ》
東《とう》方《ほう》の使《し》者《しゃ》

FULLMETAL
ALCHEMIST

カヤル！
カヤルー！
お父《とう》さんに
お弁当《べんとう》
持《も》ってって
はーい
よう
カヤル
親方《おやかた》は
今日《きょう》は
8番坑《ばんこう》だぞ
げ
一番《いちばん》
はしっこかよ
近道《ちかみち》しよ
よっこら…

ムニ
ぐに?
生物!?
……もしもし そこのおカタ…
ここはどこですカ…
どこって…
ユースウェル炭鉱《たんこう》だよ

…………アメストリス国《こく》ノ？
そう
アメストリスの東《ひがし》の終《お》わりの街《まち》
がば
やったわシャオメイ!!
ついにあの大砂漠《だいさばく》を越《こ》えてたどり着《つ》いたのヨ――!!
おーーい
おいい
おいい
おいい
…………あの〜〜〜〜

ばたーん
ヒィ!!?
ちょっと
おい!!
ぐぎゅ
ぐぎゅるるるる
のり からあげ 弁当（大盛）
LOVE
おかげさまで
助《たす》かりましタ!
目的《もくてき》を
果《は》たす前《まえ》に
飢《う》えて死《し》ぬ
ところでしタ
いや
それは
いいんだけどさ

俺《おれ》 カヤル 君《きみ》は？
申《もう》し遅《おく》れましタ！
私《わたし》は メイ・チャン
こっちは シャオメイ シンから 来《き》ましタ
シン国《こく》……って
ここから はるか東《ひがし》の⁉ 大砂漠《だいさばく》の むこうの⁉
てへ♥
はイ 砂漠越《さばくご》えで 嵐《あらし》に巻《ま》きこまれて 死《し》ぬかと 思《おも》いましたヨ
うへ〜〜 すっげえ そんな目《め》に あってまで 何《なに》しに来《き》たのさ
ええ ちょっト……

不《ふ》老《ろう》不《ふ》死《し》の法《ほう》を探《さが》しにネ
へ?
ドドドドドドドド
ドーン
ドドドドドドドド
なっ…
なんだぁ!?

ビッドさん！
カヤル！
よかった おまえは 行《い》って なかったんだな
落盤《らくばん》だ！ 8番坑《ばんこう》がやられた！
!!
カヤル！
ギュッ
カヤルさン！
8番坑《ばんこう》には 親父《おやじ》が……
親父《おやじ》が……!!
ザザッ

ズズズズズ
親父《おやじ》!!
カヤル!! 近《ちか》付《づ》いちゃいけねぇ!!
なんでだよ!!
ドズン…
まだ崩《くず》れ続《つづ》けてる!! 死《し》にに行《い》くつもりか!!

近付《ちかづ》けないって…
だまって見《み》てるしかないってのかよ!!
畜生《ちくしょう》!!
だったラ
ばらり
近付《ちかづ》かなければいいんですよネ
え?
動《うご》いちゃダメですヨ

カ
ドガ
カッ
カ
ガ

バキバキバキバキ

ゲホ
ゴホ!!
おい
何だ今の!!
明かりだ
外か!?
ゲホ
ゲホ
ひょこっ
お?

あれ？
カヤル？
どーなってんだ？
……
一飯《いっぱん》の恩《おん》でス
ニコ
うおおおお
おおおおおお
ロープとハシゴ持《も》って来《こ》い!!
全員《ぜんいん》無事《ぶじ》か――っ!!!
おおお
どお
おいどうなってるのか説明《せつめい》しろカヤル
おーい…

うわはははははははははは
ガチン
ははははは
さぁ じゃんじゃん 飲《の》みねぇ!!
おい! 食《く》いもんが 足《た》りねぇぞ!
へぇい!
あんたは 命《いのち》の恩人《おんじん》だ!! 飲《の》め!! 飲《の》んでくれ!!
うんどらー!!
ぎゃははははは
コッタさん 子供《こども》に 飲《の》ませちゃ だめよ
はは
うす
錬金術師《れんきんじゅつし》に 助《たす》けられたのは 二《に》度《ど》目《め》だ
?
ああ エルリック兄弟《きょうだい》って ちょいと有名《ゆうめい》な 錬金術師《れんきんじゅつし》がいてな
俺達《おれたち》が こうして 笑《わら》って暮《く》らして いられるのも そいつらの おかげさ

兄《あに》のエドワード・エルリックってのがやり手《て》の錬金術師《れんきんじゅつし》でよ
12の時《とき》に最年少《さいねんしょう》で国家錬金術師《こっかれんきんじゅつし》になったって
今《いま》は15か16かなぁ
金髪金眼《きんぱつきんめ》でちょいと目立《めだ》つ風貌《ふうぼう》だったな
赤《あか》いコートと三《み》つ編《あ》みも目立《めだ》ってたぞ
最年少《さいねんしょう》ですごい錬金術師《れんきんじゅつし》…
三《み》つ編《あ》みの目立《めだ》つ少年《しょうねん》……?
天才錬金術師《てんさいれんきんじゅつし》
超長身
かしこそう
やぁ!!
こんな感じ?
さらやか
エドワード・エルリック様《さま》!!
誰じゃ
その人《ひと》に会《あ》えますカ!?
え?さぁどうかな…
軍属《ぐんぞく》だからどっかの司令部《しれいぶ》に行《い》けば会《あ》えるんじゃねーの?
決《き》めましタ!!

エドワード様《さま》にお会《あ》いしてこの国《くに》の錬金術《れんきんじゅつ》を教《おし》えてもらいまス!!
では皆《みな》さんごちそうさマ!!
ごきげんよウ!!
待《ま》っててくださイ
エドワード様《さま》〜〜〜〜〜〜♡♡
ボォォォォォォォォォ
行《い》ってしまった…
あ
すんげーチビだって教《おし》えるの忘《わす》れた

RUSH VALLEY
ウィンリィちゃん
グラインダのディスク替《か》えといて
はい はーい
これ片付《かたづ》けたら休憩《きゅうけい》にしましょ
はーい!
テツ君《くん》 足《あし》の具合《ぐあい》どお?
ばっちり! また頼《たの》むね ウィンリィお姉《ねえ》ちゃん!
ふー…
いよっ ウィンリィさん
OIL

本日《ほんじつ》も良《よ》い天気《てんき》でごきげんうるわしゅう♡
プし
エド！アル！
いやぁ商売繁盛《しょうばいはんじょう》してらっしゃるようでなによりでござんすねぇ！
も――本当《ほんとう》にいっつも連絡無《れんらくな》しなんだからー
急《きゅう》にどうしたのよ
ボロッ

よっ…
と!
ガーフィールさん屋根《やね》の修理《しゅうり》終《お》わったよー
あらありがとパニーニャ
にぎやかだけどお客《きゃく》さん?
そうウィンリィちゃんのお友達《ともだち》ですって
友達《ともだち》!
…ってぇとアルと……
……エド?
だった物体《ぶったい》よ!!

ATELIER Garfiel
へー スリ やめたんだ
うん
身《み》の軽《かる》さを活《い》かして高所作業《こうしょさぎょう》を請《う》け負《お》って生活《せいかつ》してんだ
元々《もともと》は悪《わる》い事《こと》やってたから信用《しんよう》とるまでが大変《たいへん》だけどね
へー
飢《う》え死《じ》にしない程度《ていど》には稼《かせ》いでるよ
ドミニクさんも少《すこ》しずつだけど機械鎧《オートメイル》の代金《だいきん》を受《う》け取《と》ってくれるようになったよ
いいか 俺は おめー みてー から金
そこまで言うなら受け取ってやらんでもないけどな
そっか! よかった!
そっちは調子《ちょうし》どう?
うーーん…

ちょっと進歩《しんぽ》あり……かな
あんたって本《ほん》っっっ当《とう》に進歩《しんぽ》しないわね！
いくつになっても人《ひと》の言《い》う事《こと》きかないし！子供《こども》かってのよ！
嗚呼……あたしの機械鎧……
そう言《い》うおめーは修業《しゅぎょう》どうなんだよ
機械鎧《オートメイル》に内蔵《ないぞう》できるマシンガンの開発《かいはつ》をしたわ！
バーン！
…なんか間違《まちが》った修業《しゅぎょう》してねぇ？
子供みたいな美しい目で語るな
ダブリスの師匠《ししょう》の所《ところ》で収穫《しゅうかく》あったの？
うーん…まぁな
遠回《とおまわ》りだけど前《まえ》に進《すす》んでる
…かな

そ
ならいいわ
前《まえ》に進《すす》まないで腕壊《うでこわ》しただけなんて言《い》ったらあと二《に》、三発《さんぱつ》殴《なぐ》ってるところよ
まだ殴《なぐ》る気《き》か…
それで？次《つぎ》はどこに行《い》って機械鎧《オートメイル》を壊《こわ》す気《き》？
壊《こわ》すの前提《ぜんてい》かよ!!
ぷ
中央軍部《ちゅうおうぐんぶ》で調《しら》べ物《もの》しようかなと思《おも》ってんだ
えー!? 中央《セントラル》に行《い》くの!? あたしも行《い》きたいなあ!
何《なに》しに行《い》くんだよ
えへー ヒューズさん家《ち》にお礼《れい》しに!

そうだ 兄《にい》さん! ヒューズ中佐《ちゅうさ》!
おおそうだ! オレも入院《にゅういん》の時《とき》 世話《せわ》になったし あいさつ しとかねーと
あ…
でもあたし 仕事《しごと》が…
いいわよぉ! ウィンリィちゃん こっち来《き》てから 休《やす》み無《な》く 働《はたら》いてるもの
ふふ♥
たまには 息抜《いきぬ》きして らっしゃいな
ありがとう ガーフィールさん!
じゃあ…
みんなで 行《い》くか!
うん!
よし…と
チェックも 終《お》わり!
部品《ぶひん》の調達《ちょうたつ》 してくるから その辺《へん》で ヒマつぶしてて
ヒマ つぶすって どーやって…

あら♡
あたしが相手《あいて》しててあげましょうか?
うふん♡
散歩《さんぽ》行《い》って来《き》ます!!!
…とは言《い》ったものの
ここって機械鎧《オートメイル》の店《みせ》ばっかでつまんねーんだよな!
SALE
そう?
おまえは楽《たの》しそうだな
だってみんな全身機械鎧《ぜんしんオートメイル》と間違《まちが》えてくれるからさぁ!
正体《しょうたい》がバレる心配《しんぱい》なくて心《こころ》おきなく散歩《さんぽ》できるよ
フル装備だー!
すげー
かっこいー
……なるほど

オレは――
お
お
お
おにいさん
う、うちで修理《しゅうり》してかない?
ね
ね
はぁ
はぁ
はぁ
………
安《やす》くしとくよ
ね
TO MAIL
LEG・ARM
こーゆーのに狙《ねら》われるからここは好《す》かん!
ハイエナ
ちっ!
ああん
修理させてよ
アル?
Don't throw AUTO MAIL here!!
何《なに》やってんだ
もじ
もじ
兄《にい》さん…
……おまえがそんな態度《たいど》してる時《とき》はたいていネコか何《なに》か拾《ひろ》ってんだよな

うん
べろんちょ
行《い》きだおれ？
そうみたい
元の所に捨《す》ててこい！
ずびー
ひとでなし!!
いやー
生《い》き返《かえ》った
生《い》き返《かえ》ッタ!!

あんた方《がた》命《いのち》の恩人《おんじん》ダ!!
ありがト! ごっそさン!
…おごるなんて一言《ひとこと》も言《い》ってねぇし
どーん
あははははは
ははははははは
小《ちい》さい事《こと》気《き》にしなイ!
ばん
小《ちい》さい言《い》うな!!
反応すんなよ
異国《いこく》で触《ふ》れる人情《にんじょう》…
ありがたいねェ

外国《がいこく》の人《ひと》？
少しなまりが……
MESHI
そウ！シンから来《き》タ！
東《ひがし》の大国《たいこく》シン！
へー！こんな遠《とお》い所《ところ》までもの好《ず》きな！
砂漠《さばく》越《ご》え大変《たいへん》だったろ
ああ あの大砂漠《だいさばく》には参《まい》ったねェ
鉄道《てつどう》ルートが砂《すな》に埋《う》まって使《つか》えなくなってたからサ……
ガリ ガリ
馬《うま》とラクダを乗《の》り継《つ》いデ…
King
クセルクセス遺跡《いせき》を中継《ちゅうけい》するルートでやっとこの国《くに》に入《はい》れたのサ
Amestris

大回《おおまわ》りしてでも海路《かいろ》を使《つか》えば楽《らく》だっただろうに
ウン
それはそうだけド…
クセルクセス遺跡《いせき》を見《み》ておきたかったカラ
クセルクセス？
あそこ何《なに》も無《な》いって聞《き》いたけど
「大昔《おおむかし》に一夜《いちや》で滅《ほろ》んだ」なんて伝説《でんせつ》があるだけだよ
観光《かんこう》か？
ちがうよ 調《しら》べものノ
この国《くに》にも錬丹術《れんたんじゅつ》について調《しら》べに来《き》タ

錬丹術《れんたんじゅつ》？
そうカ！
この国《くに》では「錬金術《れんきんじゅつ》」と言《い》うんだっけナ
俺達《おれたち》の国《くに》では「錬丹術《れんたんじゅつ》」と言《い》って医学方面《いがくほうめん》に秀《ひい》でた技術《ぎじゅつ》なんダ
この国《くに》は科学技術《かがくぎじゅつ》として特化《とっか》してるんだっテ？
ああ お国《くに》ガラってやつだな
うちは軍事転用《ぐんじてんよう》が主《おも》だから
今《いま》も南《みなみ》のアエルゴ 西《にし》のクレタと国境付近《こっきょうふきん》で小競《こぜ》り合《あ》いが断《た》えねーし
Amestris
Creta
Aerugo
北《きた》は北《きた》で大国《たいこく》ドラクマがひかえてる
一応《いちおう》不可侵条約《ふかしんじょうやく》を結《むす》んでるけど
天険《てんけん》・ブリッグズ山《さん》があるから攻《せ》めて来《こ》れないだけでこっちも一触即発《いっしょくそくはつ》だな
Drachma

物騒《ぶっそう》な国《くに》だねェ
昔《むかし》っからゴタゴタはしてたんだけどさ
……こんなに軍事《ぐんじ》に傾《かたむ》いて来《き》たのは今《いま》のブラッドレイ大総統《だいそうとう》になってからかな
この国《くに》ももっと平和《へいわ》だったらシン国《こく》みたいに大衆《たいしゅう》の役《やく》に立《た》つ錬金術《れんきんじゅつ》に進化《しんか》したかもしれないね
だな
そうだ！君達《きみたち》の国《くに》の錬金術《れんきんじゅつ》についてもっと知《し》りたいな！
おーそうそう！そっちに興味《きょうみ》あるな医学《いがく》に特化《とっか》したってやっ！
ヘェ！ひょっとして君達《きみたち》錬金術師《れんきんじゅつし》？

そう!
オレは エドワード・エルリック
国家《こっか》錬金術師《れんきんじゅつし》だ
ボクは アルフォンス・エルリック
ちなみに ボクが弟《おとうと》ね
国家資格《こっかしかく》!
いやぁ 博識《はくしき》な人《ひと》に会《あ》えて ラッキーだなァ!
俺《おれ》は リン・ヤオ!
よろしク!
そんでほら そっちさんの 錬丹術《れんたんじゅつ》ってやつ?
詳《くわ》しく教《おし》えて くんないかな
それ 無理《むり》
俺《おれ》 錬丹術師《れんたんじゅつし》じゃ ないからラ

術師《じゅつし》じゃねーのに何《なに》を調《しら》べにこの国《くに》に来《き》たんだよ!!
ん〜〜〜ちょっと探《さが》し物《もの》
君達《きみたち》なら知《し》ってるかなァ
賢者《けんじゃ》の石《いし》

すっごく欲《ほ》しいんだけド
知《し》らないかナ？
さぁ
知《し》らねぇよ
お互《たが》いもう用《よう》は無《な》いな
じゃあな
おっと…待《ま》ってちょうだいヨ

君達《きみたち》何《なに》か知《し》ってる風《ふう》だネ
教《おし》えてくれないかナ

……賢者《けんじゃ》の石《いし》を手《て》に入《い》れてどうする？
不老不死《ふろうふし》の法《ほう》を手《て》に入《い》れル！
にっ

第《だい》33話《わ》
ラッシュバレーの攻防《こうぼう》

FULLMETAL
ALCHEMIST

不老不死《ふろうふし》だって?
そういえばこの前《まえ》もそんな事《こと》言《い》う人《ひと》がいたね
流行《はや》ってんのか?
どうしてそんなものを求《もと》める?
家庭《かてい》の事情《じじょう》ってやつサ

くっだらねー
真剣《しんけん》だヨ
なんにせよ
これが人《ひと》に
ものを尋《たず》ねる
態度《たいど》とは
思《おも》えねえな!!
あっ
兄《にい》さん
ケンカは
……

うぬれ
庶民《しょみん》めガ!
若《わか》がこうして訊《き》いておるのダ!
貴様《きさま》らこそ立場《たちば》をわきまえロ!

ガ
キ
あの
ちょっと!
あぶない
から……
ぬッ…
貴様《きさま》も
逆《さか》らうカ!!
ちょ……
ちょっと
待《ま》っ……
ギュル
…ってェ!?

あで
ズベヾ
AUTO
SALE 50%
なろー軽業師《かるわざし》みたいな妙《みょう》な動《うご》きしやがる
も〜〜〜最近《さいきん》こんなのばっかりだ
シン国《こく》の体術《たいじゅつ》かな
やり辛《づら》いね
でもよ
うん
師匠《せんせい》より弱《よわ》い!!

あーーア…
ドカ
ドカ
ドーン
行《い》っちゃったヨ
ははは
血《ち》の気《け》
多《おお》い
あ…おっちゃんデザート追加《ついか》ネ
へい
お勘定《かんじょう》は鎧《よろい》の兄弟《きょうだい》にツケといテ!

バ
バ
!?
ガッ ガッ
ガッ
せッ

ビッッ!
ビン
ガカッ
ドパァン
…なろっ!
ジャ
ジャッ

ガ
シュッ
やべ…
折《お》られる!!
ズパッ
うりゃっ
ザ

ス…
スー!!
あっぶねーー
ズキ
くっそ… フラフラクネクネとやりにくい
命《いのち》を取《と》るまではしないみたいだが…
…ったく いきなり賢者《けんじゃ》の石《いし》だ不老不死《ふろうふし》だとケンカふっかけてきやがって
あの野郎《やろう》何《なに》を企《たくら》んでる!?
あいつだ あいつ!
いけ好《す》かねえ糸目《いとめ》のチャラチャラした野郎《やろう》!
何《なに》を考《かんが》えてんだ あの馬鹿《ばか》は!!

え
ビッ
うがっ!?
!
ビッ
ゴッ
ぐ…

へえ…
いきなり急所《きゅうしょ》来《き》たね
やっぱおめー
うちの師匠《せんせい》より弱《よえ》え！
うーん
あの人《ひと》すばしっこくて全然《ぜんぜん》捕《つか》まえられないや

あれ——?
ここの屋根《やね》の修理《しゅうり》たのまれてたのに!
何《なに》やってんのアル
話《はな》せば長《なが》い事《こと》ながら……
ストッ
……なんとなくわかった
よかった手間《てま》がはぶけて
そうだパニーニャ
たのみがあるんだけど

……
……
……
奇妙《きみょう》な…
あの鎧《よろい》…
あれは…
あり得《え》ん
安《やす》くないよ？
兄《にい》さんにツケといて
りょーかい！
ぬ？
ザザザ
ザザ
GATE
AUTO
ちぇぇぇぇん
仲間《なかま》を増《ふ》やせばどうにかなると思《おも》ったカ!!
おろか者《もの》どもメ!!
にっ

ガラ
ガッ
ドン
…………
やっぱり
たいした事《こと》
なかったな
ガ…クッ

部下《ぶか》がこんなヘタレじゃあのリンって野郎《やろう》の程度《ていど》も知《し》れてるってもんだ
ガ
ガ
ガッ
こいつ冷静沈着《れいせいちんちゃく》で機械《きかい》みたいな奴《やつ》かと思《おも》ったが

主《あるじ》の事《こと》
貶《けな》されたとたんに
血液逆流《けつえきぎゃくりゅう》する程《ほど》
熱《あつ》くなりやがんのな
そうなると
攻撃《こうげき》が単調《たんちょう》で
直線《ちょくせん》で…
大振《おおぶ》りに
なる！
どした
どしたぁ
図星《ずぼし》かぁ!?
やっぱあいつは
ケツまくって
国《くに》に帰《かえ》るのが
お似合《にあ》いだな!!
そんじゃその
ヘタレ部下《ぶか》の
ツラ
拝《おが》ませて
もらおうかい！

女《おんな》!?
…!!?
ガクン

ドドン!
RUSH
ぬう!!
ドン
義肢内蔵砲《ぎしないぞうほう》とは……
この国《くに》なかなかあなどれん
チリ

飛《と》………

これは
錬丹術《れんたんじゅつ》……
陣《じん》も無《な》しにやってのけおったのカ!?
うーん… ちょっとイメージとズレがあるなぁ
初《はじ》めてならこんなものかな
さてと…
兄《にい》さんは無事《ぶじ》かなぁ

ゴゴ
ゴガラ
ガラ
ガラ
ガラン
ガラ
ガラ
……やりすぎた
どうしよう
ぐす
リン様に
しかられてしまう
……
じ

ピーン
!!
がば
わああああああああ
ギ…
おい
ねーちゃん
街中《まちなか》で
なんちゅー物《もの》
使《つか》うんだ

ガシャ
オレじゃなかったら死《し》んでたぞ!
貴様《きさま》…自《みずか》ら腕《うで》ヲ…!?
ドドン

動《うご》かない機械鎧《オートメイル》は重荷《おもに》以外《いがい》の何物《なにもの》でもないからな
切《き》り離《はな》してエサに使《つか》わせてもらった
なにガキの頃《ころ》散々《さんざん》ウサギを追《お》い回《まわ》してたんでね
トラップなんざお手《て》のもんさ

さて どうしてくれようか…
め……面《めん》を返《かえ》せ
あ?
壊《こわ》した面《めん》をかっ……かか返《かえ》せと言《い》っていル!
あのな…言《い》える立場《たちば》かよ
兄《にい》さーん
おうアル
あーあ腕《うで》ウィンリィに殺《ころ》されるよ
まったく身《み》がもたねぇな
不老不死《ふろうふし》の研究《けんきゅう》でもすっか
ぶらん
おい!
おまえらの主《あるじ》は賢者《けんじゃ》の石《いし》だ不老不死《ふろうふし》だといったい何《なに》を考《かん》えてんだ?
フン

はい
おつかれさーン
てめ……
のうのうと!!
いやぁ
悪《わる》い悪《わる》イ
うちの連《つ》れは
どうも血《ち》の気《け》が
多《おお》くてネ
もっとも
君《きみ》たちも相当《そうとう》
血《ち》の気《け》多《おお》い
みたいだけド
はっ!
売《う》られた
ケンカは
買《か》うのが
道理《どうり》だ!
君《きみ》たち!?
それにしても
君《きみ》たち
強《つよ》いねェ
どウ?
俺《おれ》の部下《ぶか》になって
一国《いっこく》を治《おさ》めて
みなイ?
寝《ね》ボケた事《こと》
言《い》ってないで
とっとと
シンとやらに
帰《かえ》れ!!
兄《にい》さんと同列《どうれつ》の
ケンカバカ
扱《あつか》いされた…
ザーン
ザーン
ザーン

おお いたいた
うう〜〜ん 目的《もくてき》を果《は》たすまで 帰《かえ》る訳《わけ》には いかないんだよネ
わら わら わら わら わら
おまえら ずいぶんと 壊《こわ》して くれたな!
弁償《べんしょう》しろ!
メシ代《だい》 よろしく!
ちょっと 待《ま》てよ!
メシ代《だい》も 弁償《べんしょう》も こいつと その連《つ》れが ……
ワタシ コノ国《くに》ノ言葉《ことば》 ワカラン アルヨー!
サイナラー!
シャ
シャッ
速《はや》あっ!!!
「アルヨ」!?
…って あー!! 黒装束《くろしょうぞく》も いない!!
あれ!? また おまえらか!
毎度《まいど》 毎度《まいど》 よく壊《こわ》す やっちゃな
さっさと 直《なお》して もらおうかい!
わしの 店《みせ》!!
メシ代《だい》!
ばう ばう ばう!?
どっ

直《なお》すったって
オレは今《いま》
この有様《ありさま》だし…
ぽん
しょうが
無《な》いなあ
ボクがやるよ
え？
何《なに》？
錬成陣《れんせいじん》無《な》しで
できるように
なったのか？
マジで？
うん
あれを見たから
ケンカ
身長
兄の威厳
錬成テク
ケンカ
!!!!
ぼ ぼ ぼ
錬成テク
ケンカ
身長
錬成テク
ケンカ
兄の威厳
あとは
ボクにまかせて
そこで…
次回から「鎧の錬金術師」が始まります…
どしたの
兄《にい》さん

失態《しったい》 申《もう》し訳《わけ》ありません 若《わか》！
いいよー 休んでなよ
オレも 手伝う!
わー
ああ いいよ
しかし 行《い》きだおれた おかげで 面白《おもしろ》いのと 出《で》会《あ》えたよ
気付《きづ》いたか？
……あの鎧《よろい》…… 生《い》きた人間《にんげん》ならば 持《も》っているはずの “気《き》の流《なが》れ”が 感《かん》じられません
うん
それとあの ちっこい方《ほう》
何《なに》か知《し》ってる みたいだ
不老不死《ふろうふし》の法《ほう》 でしょうか？
だと いいな
どうやら あいつらに 付《つ》いてって 教《おし》えを乞《こ》うのが 一番《いちばん》の近道《ちかみち》のようだ

若《わか》が あのような下々《しもじも》に 頭《あたま》を下《さ》げるなど!!
俺《おれ》の 頭《あたま》ひとつなら 安《やす》いもんだろー
なりふりかまって られんよ
俺《おれ》が 背負《せお》ってるものの ためにはね
ま
頭《あたま》下《さ》げて ダメってんなら ぶんどるだけさ
行《い》くぞ

気《き》のせいか
……………
いや
この国《くに》は
何《なに》か
おかしい
ATELIER
Garfiel

ヤッ
また会《あ》ったネ!
こら
なんでてめーがここにいるんだよ
やあ・・また行《い》きだおれてたらそちらの美《うつく》しい方《かた》がお茶《ちゃ》を出《だ》してくれてネ
あらやだ美しいだなんて
シンの国《くに》にゃ行《い》きだおれ文化《ぶんか》でもあるんかい!!
メシ代払《だいはら》え!!
友達《ともだち》だろおごってくれてもいいじゃんカ
誰《だれ》が友達《ともだち》だ!!
てめーみてぇな目付《めつ》きの悪《わる》い奴《やつ》を信用《しんよう》できるか!!
ああっ人《ひと》が気《き》にしている事《こと》ヲ!
生《う》まれつき目付《めつ》きが悪《わる》いから笑顔《えがお》を絶《た》やさぬように

そう言《い》う兄《にい》さんもかなり目付《めつ》きが悪《わる》いよね
まぜかえすなアル!!
やだぁあたしは目付《めつ》き悪《わる》い子《こ》も守備範囲《しゅびはんい》よぉ♡
ホホホ
論点《ろんてん》ずれてるよガーフィールさん
ただいまー!
大通《おおどお》りの方《ほう》が騒《さわ》がしかったけど
何《なに》かあった……
ははははは
つかまえてごらーーん
わんわんっ
うふふふふ
まちやがれー
チュイ〜ン
へーー!
ずいぶん遠《とお》い所《ところ》から来《き》たのね!

この国《くに》の女《おんな》の子《こ》
みんなやさしくて
美《うつく》しイ!
とてもいい国《くに》
だネ!
やだぁ!
誉《ほ》めても
何《なに》も出《で》ないわよ!
探《さが》し物《もの》
ついでに
お嫁《よめ》さんも
みつけて
行《い》こうかナ!
きりっ
ぎゅ♡
探《さが》し物《もの》?
おい
ウィンリィ!!
オレは早《はや》く
中央《セントラル》に
行《い》きたいんだ!
さっさと腕《うで》
直《なお》せ!
何
いばってんの
あんたは
中央《セントラル》?
じゃあ俺《おれ》も
一緒《いっしょ》に行《い》こウ
一人《ひとり》で行《い》け!!
いいじゃんかよ
ッ!!
友達《ともだち》だろ
ーーッ!!?
キシャーー!!
カーー!!
オレに
ハイエナの
友達《ともだち》はいない!!
よかったねぇ
兄《にい》さん
友達《ともだち》が
できて
ははは
なんだその
遠《とお》い所《ところ》からの
部外者《ぶがいしゃ》な
もの言《い》い!!
押《お》しつける気《き》
満々《まんまん》?

だめよエド
友達《ともだち》は
大切《たいせつ》にしないと
はははは
そういう訳《わけ》で
よろしク!!
帰《かえ》れ
——っっ!!!
そのころ
若《わか》——っ!!
どこに行《い》って
しまわれたのか
——っ!!
まったく!
目《め》をはなすと
すぐいなくなる!!
オロ
オロ
オロ
ま…また
行《い》きだおれてたら
どうしよう……
ガラ
ガラ
ガラ
ガラ
ガラ
ガラ
ガラ
ガラ
ガラ
ガラ
ブオオオ
ガラ ガラ ガラ ガラ ガラ ガラ ガラ ガラ ガラ ガラ ガラ ガラ
……………
ゴリ
ゴリ

旦那《だんな》ぁ・・・
ガタ
ガタ
ガタ
ちょっと日陰《ひかげ》に入《はい》って休《やす》みませんか
ゴリッ
ゴリゴリ
ゴト
ガタ
ガタ
ゴト
ガタ
ゴリッゴリッ
ねぇ……
傷《きず》の旦那《だんな》あ

ゴリッ
黙《だま》って
進《すす》め
バキ
はひッ!!
ぶつ
…ったく
なんで私《わたし》が
こんな得体《えたい》の
知《し》れない男《おとこ》と
行動《こうどう》を共《とも》にせねば
ならんのだ
ぶつぶつ
ぶつぶつ
かぽ
こぽ
かぽ
こぽ

己《お》れもおまえも
どのみち
あの貧民街《ひんみんがい》には
居《お》れぬ身《み》だろう
はひィイ
イッ!!
やっ…やだな
聞《き》こえてたん
ですか!
傷《きず》の旦那《だんな》は
耳《みみ》が良《よ》くって
ははは……
いいから
黙《だま》って進《すす》め
ムキャ――ッ!!
人《ひと》が下手《したて》に出《で》てりゃ
いい気《き》になりおって
愚民《ぐみん》その一《いち》めェ――ッ!!
今《いま》に見《み》ておれ
この名無《なな》しの……
名無《なな》しの…
そういや
「傷《きず》の旦那《だんな》」って
呼《よ》び辛《づら》いですよ
くる
ニコ
ニコ
ニコ
名前《なまえ》を教《おし》えて
くれませんかねぇ
ガタ
ガタ
ゴト

…………イシュヴァールの民《たみ》は…
ゴトゴト
自身《じしん》の名《な》を神《かみ》より賜《たまわ》ったものとして誇《ほこ》りをもって呼《よ》ぶ
それはそれは…旦那《だんな》もさぞかし立派《りっぱ》な名《な》を…
捨《す》てた
ゴトゴト
へ？
ゆえに己《お》れは名《な》を捨《す》てた
ゴトガタ
行《ゆ》け
進《すす》め
ゴキッ
はっ…はいっっ!!
ピシッ

戻《もど》れぬ道《みち》なら
神《かみ》より
賜《たまわ》りし物《もの》
全《すべ》て……
捨《す》て行《ゆ》く!!
EAST CITY
CENTRAL

FULLMETAL
ALCHEMIST

特別編《とくべつへん》
PS２用《プレイステーションよう》ソフト 鋼《はがね》の錬金術師《れんきんじゅつし》
翔《と》べない天使《てんし》 prologue《プロローグ》
追《お》え追《お》え!!
はっ
はっ
ひっ…
路地《ろじ》に入《はい》ったぞ!!
二手《ふたて》に分《わ》かれろ!!
はぁ
はぁ
ぜぇ
はぁ
はぁっ
はぁっ
……くはっ
ここまで来《く》れば……
はぁ
はぁ
!!?
ガッ

っ…
…っは!?
ふ〜〜〜……………
やっと捕《つか》まえたぜ…!!
!!
ガ……ガンツ大佐《たいさ》!?
パパただいまー

こんな雨《あめ》の日《ひ》に
こへ行《い》って
たんだ
ルモニ
ん
ちょっとね
……まさかまた
私《わたし》に隠《かく》れて
どこかで
錬金術《れんきんじゅつ》を習《なら》おう
などとはして
いないだろうな
むっ…
ねぇパパ！
どうして
錬金術《れんきんじゅつ》を
やっちゃ
ダメなの!?
ダメなものは
ダメだ！
おまえには
向《む》いて
ないんだ！
そんなの
やってみなきゃ
わからない
じゃない！
パパは錬金術《れんきんじゅつ》で
この街《まち》を
作《つく》ったんでしょ!?
そのパパの
娘《むすめ》なんだから
私《わたし》だって!!

……
ヴィルヘルム教授《きょうじゅ》
ネムダ准将《じゅんしょう》がいらっしゃいました
わかった
アルモニ その話《はなし》はここまでだ
部屋《へや》に戻《もど》りなさい
パパ！
パパ!!
キリイイイイイイ

にやり
ネムダ准将《じゅんしょう》が？
ああ
合成獣《キメラ》に襲《おそ》われた街《まち》が壊滅《かいめつ》した事件《じけん》にかかわっている可能性《かのうせい》がある
君《きみ》には潜入調査《せんにゅうちょうさ》をたのみたい
危険《きけん》な仕事《しごと》だが行《い》ってくれるか？
わかりました
どこへなりと
うむ
行《い》き先《さき》は「錬金術師《れんきんじゅつし》の自治《じち》する街《まち》」——

ガンツ大佐《たいさ》 信《しん》じてください!!
ぎり
ぎり
ぎり
かはっ
自分《じぶん》は何《なに》も 知《し》らないし 何《なに》もやって いません!!
でっ!!
パッ
ああ 信《しん》じて やるとも
おまえは 反逆《はんぎゃく》なんて 考《かん》える奴《やつ》じゃ ねえって事《こと》は オレが一番《いちばん》よく わかってる
げほ
ごほ
大佐《たいさ》…

……軍《ぐん》も手《て》を出《だ》せん街《まち》がある
しばらくそこで身《み》を隠《かく》しておけ
へ？
その間《あいだ》にオレがおまえの無実《むじつ》を証明《しょうめい》してやる
オ゛オ゛オオオオ
明朝集合《みょうちょうしゅうごう》だ
オオ
仲間達《なかまたち》と列車《れっしゃ》に乗《の》ってそこへ向《む》かう

掲載・月刊少年ガンガン平成16年1月号～4月号

鋼の錬金術師8　おわり

おまけ

ゆで卵
割るのに
べんり
です

あれは忘れもしない二〇〇二年の………
あれ？いつだっけ？たぶん秋。
←スクエニ
RRRR
はい荒川です
アニメやるぞ
なに言ってんですか ねぼけた事
すちゃ
ガちゃ
キャベツ
聞けーーッ!!!
ぐぉ!!
東京は生き牛の目をぬく
なっ…純朴な田舎者をたまそうったってそうはいきませんよ!!
いーいから会社に来い!!打ち合せだ!!!
おっかねえ所っしょ!!
どうせドッキリだ
フフフ…そうにちがいない
だいたいこんなどこの牛の骨ともわからん輩のマンガをアニメになんて……
ギィ…
失礼しまーす
ドッキリじゃなかったーーッ!!!
ブーッ
じょー
ガクガク
えらい人ズラリー
牛小屋日記
アニメはこうして作られた!!編
鋼のTVアニメプロジェクト
旧エニックス本社会議室
しかもボッボボボボボンズさん製作ーーッ!?!!
ガーッ!!
はははははは
ボンズ 南雅彦プロデューサー
監督は水島精二氏だ!!
よろしくー
いつもニコニコ
ストーリーエディター會川昇氏!!
水島監督いわく、
我々が踏みとどまる所を平気で一歩踏み出す男、それが會川昇だ!
びしっ
少年の成長を描きたいよね
心の成長を。
ですねえ!
うちの主人公最初っから力的レベル100だから
我々大人は日々起こっている理不尽な事にいきどおりを感じつつもどこかで「しょうがない」とか「原因があるから」とかなにかと理屈をつけておさえたがるものだ。
ニュース
しかし“理不尽な事には素直にいきどおる”
——理屈ではない、心の奥から湧きあがる不条理に対する反発だ——
それはとても正直な気持ち、正しい気持ちであると思う。
少年少女達にはその正しい気持ちを大切にして成長してほしいと思うのですよ
だねー
なので私もいきどおってみる。
なんでパドメはアナキンなんかに惚れますか!!!
うおー
もうその話やめなはれ
牛ごろし
だん!
閑話休題。
こういう大人達が頭すりよせて開始前に打ち合せておりました
父親がですね
あーだ
こーだ
大佐が

私んとこに来るのは主にキャラや世界観の質問。
気候は?
身長は?
交通機関は?
〇〇と〇〇の関係は?
中には「〇〇のシーンでそのキャラはどんな状況だったか」という質問も来るので…
う——————んと…
口で説明するよりネーム(マンガのコンテ)で描いた方が早いです
これFAXします
どうせこの先原作でもやりますし
ばばばばば
シーンをネームで出す事もありました。
なんせ原作の量が少ないので色々大変だ〜
そういった質問の端々から
うぉおおおおおお
ものを作る情熱がいやと言う程伝わってくるので、
そんならこっちも本気でぶつかるべ、と原作の最終回もぶちまけてあります
エドとアルは〇〇〇で〜っ
ごわっしゃあー
なにィィィィ
もちろんもの作り同士ですので意見がぶつかる事もありますが、
少年誌作家としてそこはゆずれんのです〜
そこをなんとか
じりじりじり
それもまたものを作る楽しみ。
念のために言っとくけどケンカじゃないよ(笑)
ちなみに意見だけでなくネタがぶつかる(かぶる)事もたまにあります。
ギャス!!!アニメで一足先に無精ヒゲ大佐やられた!!
変なシンクロ(笑)。
今まさにヒゲ大佐を描いてるところ。原作34話。
こんな感じで基本事項のすりあわせ以降、脚本から先の作業はほぼ丸投げです。
ここからはもう一視聴者の立場っすね。毎週土曜六時はテレビの前に座ってドキドキわくわく待ってます。
愚息をよろしくおねがいします
ぽい
はいー
エド役→朴さん
こうして作られているTVアニメ「鋼の錬金術師」も最終回まであと少し。
おー!最後はこうなるのか——!
早く映像付きで観たいねぇ!
どんなオチが待っているかお楽しみに!!
#最終話
TVアニメが終わるのはさみしいけど少し時間に余裕ができるかねぇ
ヨーロッパに取材でも行ってくっか…
はふ〜
RRRRR
劇場版もあるよ
お楽しみに!!

肉肉鎧肉肉肉

すばらしき犬の世界

鋼の錬金術師 8
すぺしゃるさんくす〜

高枝景水さん
ひのでや三吉っあん
杜康潤さん
弥正成さん
馬場淳史さん
あいやーぼーるさん

担当 下村裕一氏

AND YOU!!

死因

錬《れん》金《きん》術《じゅつ》は人《ひと》に
何《なに》をもたらすのか!?
待《ま》った?
いいえ
今来《いまき》たところ
ジャン
なぜ
こんな戦《たたか》いを

ヒューズさんにも食《た》べてもらいたかった……!!
そんな身体《からだ》はいらないよ
何《なに》かを得《え》るためには
何《なに》かを失《うしな》う。
錬《れん》金《きん》術《じゅつ》の原《げん》則《そく》である
等《どう》価《か》交《こう》換《かん》に気《き》づきながら、
繰《く》り返《かえ》される人《ひと》の業《ごう》は
どこまでも深《ふか》く…。
鋼《はがね》の錬《れん》金《きん》術《じゅつ》師《し》
2004年《ねん》11月《がつ》発《はつ》売《ばい》予《よ》定《てい》!!
乞《こ》うご期《き》待《たい》!!
9 HAGANE no RENKINJUTSUSHI
第《だい》9巻《かん》

ガンガンコミックス

鋼の錬金術師《はがねのれんきんじゅつし》
FULLMETAL ALCHEMIST

鋼の錬金術師 8

2004年8月22日 初版
2005年9月1日 11刷

著　者　　荒川 弘

発行人
田口浩司
発行所
株式会社スクウェア・エニックス
〒151-8544　東京都渋谷区代々木 3-22-7　新宿文化クイントビル3階
〈内容についてのお問い合わせ〉 TEL 03(5333)0835
〈販売・営業に関するお問い合わせ〉 TEL 03(5333)0832
FAX 03(5352)6464
印刷所　図書印刷株式会社

ISBN4-7575-1230-9 C9979

月刊
少年ガンガン
GANGAN
毎月12日発売!!
鋼の錬金術師
●荒川　弘
好評連載中
劇場版 鋼の錬金術師
シャンバラを征く者
絶賛上映中!!
好評連載中
まほらば
●小島あきら
月刊ガンガンWING
ウイング
毎月26日発売!!
月刊Gファンタジー
GFantasy
毎月18日発売!!
ぱにぽに
●氷川へきる
好評連載中
TVアニメ
ぱにぽにだっしゅ!
絶賛放送中!!
好評連載中
ドラゴンクエスト列伝 ロトの紋章
～紋章を継ぐ者達へ～
作画：藤原カムイ 脚本：映島　巡 監修：堀井雄二
ヤングガンガン
GANGAN
毎月第1・第3金曜日発売!!
©2004 SQUARE ENIX CO.,LTD.All Rights Reserved.